¡Hola, amigos!

¡Hola, amigos!

Por Tricia Brown
Fotografías de Fran Ortiz

SCHOLASTIC INC.
New York Toronto London Auckland Sydney

Hello, Amigos!/¡Hola, amigos!

 Published by Scholastic Inc.,
730 Broadway, New York, NY 10003,
by arrangement with Henry Holt and Company, Inc.
Printed in the U.S.A.
Designed by Kate Nichols.
ISBN 0-590-47361-1
ISBN 0-590-29172-6 (meets NASTA specifications)

12345678910 34 00 99 98 97 96 95 94 93

Agradecimientos

Muchas gracias a las siguientes personas cuya cooperación, apoyo y entusiasmo hicieron posible este libro: el Sr. y la Sra. Valdez, y sus hijos: Gabriel, Claudia, Nancy, Frank, Karen, Leslie, Roger Jr., y Raul; los estudiantes y personal de Garfield School, especialmente su principal, Joseph Stallone; Marian Giddings, maestra bilingüe; Anne Kearny; Frank Lempert, director del programa de Columbia Park Boy's Club; Reverendo John J. O'Connor, de Mission Dolores; Reina A. Parada, de La Raza Information Center; Feliz T. Duag, coordinador de la Oficina de Información Pública y Asuntos Públicos del Distrito Escolar Unificado de San Francisco; Nelly Núñez, de Servicios de Traducción Berlitz; Peter Connolly, bibliotecario de la sección de niños, Biblioteca Pública de San Francisco; Salvador (Chava) Ojeda; Marilyn Welch, Land of Counterpane; Marvin Martinez; Elyce Kirchener; Jeffrey Rascon; Steve Essaff; Maria Gonzalez; Nydia Maciques-Gomez; Esperanza Balladares; Catherine Ortiz; Michael Ortiz; Theodore Brown; Barrett Brown; Andrea Brown; y Marc Cheshire.

Para la familia de Roger Valdez y
nuestros amigos mexicoamericanos.

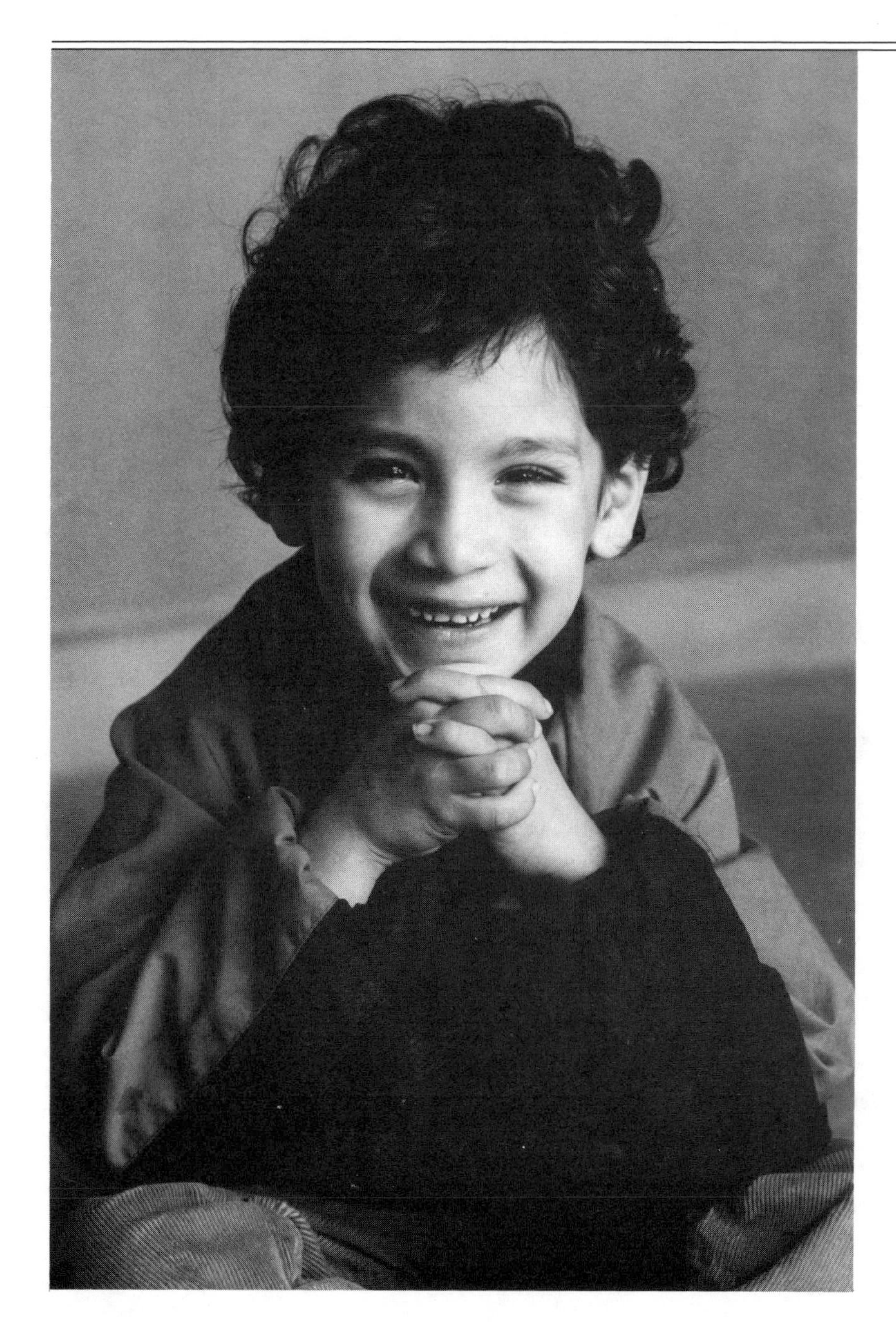

¡Hola, amigos! Me llamo Frankie Valdez.

Vivo en Mission District, San Francisco, con mi madre, mi padre,
mis tres hermanos y mis cuatro hermanas.

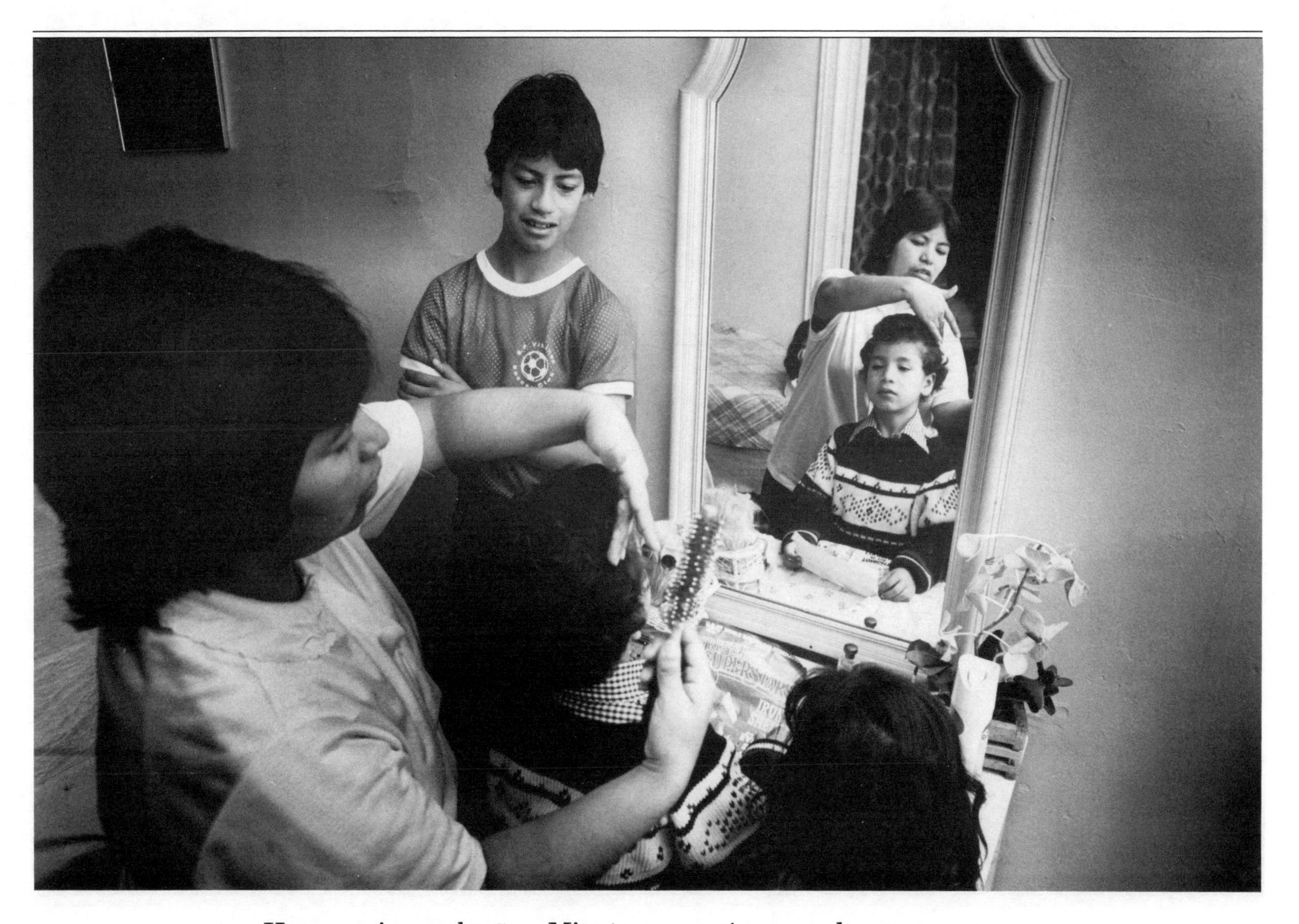

Hoy es mi cumpleaños. Mientras mamá me ayuda a prepararme para ir a la escuela, mi hermano Gabriel viene a decirme Feliz Cumpleaños. El me lo dice en español.

Me siento muy feliz hoy. Cuando llegue a casa de vuelta de la escuela tendremos la fiesta de mi cumpleaños.

Mi hermana Nancy y yo vamos a la misma escuela. El viaje en autobús es bastante largo.

Me gusta mirar por la ventanilla mientras atravesamos la ciudad.

Siempre me siento al lado de mi mejor amigo Marvin Martínez.

Marvin se ha lastimado el brazo. Yo le ayudo a acomodarse el cabestrillo. Quizás seré médico cuando sea mayor.

Sonó la campana. Es la hora de desayunar. Mmmmmm . . . esta leche está rica.

En mi escuela los niños de primero y segundo grado están en el mismo salón. Algunos de nosotros hablamos español en casa, y aprendemos inglés aquí en la escuela.

La primera lección es de Matemáticas. A veces me cuesta entenderlas.

Mi maestra, Mrs. Giddings, me ayuda con mi lección de Matemáticas. Ella también habla español.

Luego viene el recreo. ¡Me encanta jugar afuera!

Después del recreo estudiamos inglés. El inglés me gusta, sobre todo si tengo la respuesta correcta.

En Ciencias Mrs. Giddings nos muestra una película sobre los mamíferos. A mi hermana le gusta, pero a mí me da sueño.

En P.E. jugamos a la pelota. Como es mi cumpleaños, Mrs. Giddings me deja lanzar primero.

Después de P.E. me sorprenden con un pastel de cumpleaños y me ponen una corona.

Me gusta almorzar con mis amigos, pero hoy me apuro y recojo bien rápido.

En mi escuela nos vamos a casa después del almuerzo.

Estoy impaciente por llegar a casa y tener mi fiesta de cumpleaños.

¡Hurra! ¡Por fin llegué a casa!

Mamá dice que todavía faltan algunas horas para que empiece la fiesta. Quiere preparar guacamole, y me manda al mercado a comprar aguacates.

Cuando regreso a casa quiero ir al Boy's Club de Columbia Park. Mamá dice que debo terminar los deberes antes de irme. Por suerte mi hermano mayor, Gabriel, y mi hermana Claudia me ayudan.

Luego Gabriel y yo salimos para el Boy's Club.

Frank, el director del programa, me
está enseñando a jugar al billar.

Después de mi lección tengo que esperar a Gabriel y a su amigo, Tyrone, a que terminen su partido de futbolín.

¡Cuando llegamos a casa ya es casi la hora de mi fiesta! Me pongo mi ropa de fiesta y la corona que me hizo mi maestra. Miro cómo mi mamá prensa los aguacates con su molcajate.

¡Hmmmmmm . . . delicioso!

Mi madre y mi padre han invitado a nuestra familia, amigos y vecinos a comer nuestra comida favorita: enchiladas, frijoles refritos, arroz, tortillas, y, por supuesto, el delicioso guacamole.

Chava, el amigo de papá, viene a cantar algunas canciones de camino a su trabajo. El es un mariachi y canta en un restaurante cercano.

¡Lo que más me gusta es mi pastel de cumpleaños!

Después de comer llega la hora de romper la piñata.

Cuando la piñata se quiebra, recogemos los caramelos.

Ha sido un día maravilloso. Papá y yo vamos caminando a nuestra iglesia. Me ayuda a prender una velita, y yo digo mis bendiciones.

Acerca del autor

El primer libro de Tricia Brown, *Someone Special, Just Like You,* fue publicado por Holt, Rinehart y Winston en mayo de 1984. Fue listado como uno de los libros para niños más destacados de 1984 por el Comité de Revisión de Libros en Ciencias Sociales. En 1985 ganó el premio del President's Committee on Employment of the Handicapped. *¡Hola, amigos!* es su segundo libro. La Sra. Brown ha viajado mucho por Latinoamérica y habla español con fluidez. Actualmente está trabajando en su tercer libro y como maestra substituta. Vive en Telegraph Hill, San Francisco, con su esposo, un arquitecto, y su hijo de seis años.

Acerca del fotógrafo

Fran Ortiz, un periodista y fotógrafo premiado, también fue fotógrafo de *Someone Special, Just Like You.* Es actualmente Director de Fotografía del *San Francisco Examiner.* A lo largo de su carrera de más de veinte años, ha trabajado en numerosas revistas, entre ellas *Time, Life, Harper's Bazaar,* y *National Geographic.* En 1981 fue nominado para el premio Pulitzer por su documental social sobre los indios Mono. Vive en Kensington, California, con su esposa y su hijo de dos años.